A GRANDE IMAGERIE

LES GAULOIS

Conception
Émilie BEAUMONT

Texte
Stéphanie REDOULÈS

Images
Yves BEAUJARD

FLEURUS ÉDITIONS, 15-27, rue Moussorgski, 75018 PARIS
www.fleuruseditions.com

QUI ÉTAIENT LES GAULOIS ?

Les Gaulois étaient des Celtes. Les Celtes regroupaient différents peuples qui avaient en commun la langue et la maîtrise du fer et qui ont conquis et occupé divers territoires en Europe. Les Gaulois habitaient la partie du monde celtique appelée la Gaule, qui correspondait approximativement à la France actuelle (voir la carte). Ce peuple de forestiers, de paysans et d'artisans vivait il y a environ 25 siècles. Les Grecs et les Romains, qui les ont décrits dans des textes, les considéraient comme « barbares » parce qu'ils étaient étrangers et ne leur ressemblaient pas.

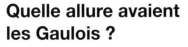

ANGLETERRE

MANCHE   GAULE BELGE

GAULE CHEVELUE

Alésia

Gergovie

Alpes

Massalia

Pyrénées

ESPAGNE   MÉDITERRANÉE

La Gaule dans le monde celtique

On pense que les premiers Celtes étaient originaires de l'Europe centrale et qu'ils ont peu à peu conquis des territoires pour s'y installer. Ils ont ainsi atteint, à l'ouest, l'Espagne, le Portugal, l'Angleterre et l'Irlande. Au sud, ils sont parvenus jusqu'au nord de l'Italie et même à l'actuelle Turquie.

Quelle allure avaient les Gaulois ?

Avec leurs cheveux longs et leurs moustaches tombantes, les Gaulois avaient un physique impressionnant. Ils se rasaient la barbe et taillaient leurs grandes moustaches. Ils étaient vêtus d'une tunique de laine souvent à carreaux ou à rayures, serrée à la taille par une ceinture en cuir. Ils se couvraient parfois aussi d'une cape.
Leurs pantalons, les braies, étaient plus étroits aux chevilles.
Ils étaient chaussés de sandales ou de bottines en cuir souple.
Les femmes portaient une longue robe ample en lainage.
Des textes romains racontent que certains Gaulois se décoloraient les cheveux à l'eau de chaux.

CELTES

...LIE

...a Gaule représentait le
...rritoire celte qui s'étendait
...es Alpes aux Pyrénées et de
... Méditerranée à la Manche
... à la mer du Nord. Mais les
...fférents peuples de cette
...gion ne se fréquentaient
...s tous.

En France, à Bucy-le-Long, dans l'Aisne,
on a découvert un cimetière gaulois
comprenant plus de 200 tombes dont
4 avec un char, ce qui témoigne de
la richesse des personnes enterrées.

Comment connaît-on les Gaulois ?

Grâce aux fouilles entreprises par des
chercheurs, beaucoup de sites gaulois
ont été mis au jour. Ils abritaient des
objets de métal laissés par
ces populations, ou encore
des traces d'habitations, de
fortifications et des tombes.

Les Gaulois ont vécu à une période qui
se situe entre le Ve siècle av. J.-C. et le
Ier siècle ap. J.-C.

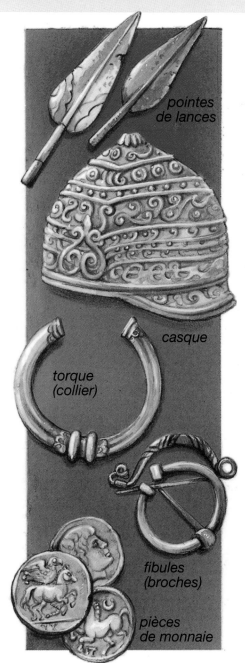

pointes
de lances

casque

torque
(collier)

fibules
(broches)

pièces
de monnaie

Des objets précieux

Beaucoup d'objets ont
été retrouvés dans des
tombes, car on enterrait
les morts avec ce qu'ils
possédaient de plus
précieux. C'est en
découvrant des pointes
de flèches, des bijoux,
des pièces de monnaie
ou des outils que l'on a pu
en savoir plus sur la façon
de vivre des Gaulois et
les différentes techniques
qu'ils maîtrisaient.
Les Gaulois n'ont pas
laissé d'écrits racontant
leur histoire.

VILLAGES ET PLACES FORTES

En Gaule, on distingue trois types d'habitats : les fermes isolées (ædificia), les villages (vici), et les villes fortifiées (oppida).
Ces dernières, véritables places fortes, sont entourées de remparts particulièrement solides qui protègent leurs habitants des nombreuses attaques. Elles se développent surtout à la fin du IIe siècle av. J.-C.
En France, l'oppidum* de Bibracte, en Bourgogne, est fouillé et étudié depuis plusieurs années. Il apporte de nombreuses informations sur l'organisation des villes de l'époque gauloise.

Un site protégé

L'oppidum peut être situé sur une hauteur ou dans la boucle d'une rivière. Cette position et les imposantes fortifications rendent la ville plus difficilement accessible aux ennemis. L'oppidum contrôle parfois un territoire de plusieurs kilomètres à la ronde. Bibracte était, par exemple, la capitale des Éduens, peuple gaulois.

Importants centres de communication, les oppi sont des lieux animés où côtoient artisans, paysan commerçants et villageo venus se ravitailler.

Le murus gallicus

La grande force des villes fortifiées, c'est leurs redoutables remparts appelés « murus gallicus » (mur gaulois). Ils sont faits de pierres renforcées par des grosses poutres en bois entrecroisées et fixées par de fantastiques clous de 30 cm de long ! Ces murs sont particulièrement résistants : ils ne craignent ni le feu, ni les coups violents que peuvent donner les assaillants.

Bibracte se trouvait sur le Mont-Beuvray, une colline boisée de Bourgogne.

Les villages

La Gaule est parsemée de petits villages. Leurs habitants ne vivent que de leurs propres productions et achètent sur les marchés des plus gros bourgs ce qu'ils ne fabriquent pas.

La vie dans les villes fortifiées

Les plus grands oppida sont des centres régionaux qui ont un rôle politique et commercial.
Ils constituent des lieux d'échanges où règne une intense activité.
On y distingue des quartiers où vivent et travaillent différents artisans, des espaces réservés au culte, des places de marché, des enclos et des granges pour les bêtes.
Les maisons sont alignées et forment des rues où circulent les chariots des commerçants ambulants et des agriculteurs.

Les maisons

Les maisons sont en terre et en bois. Les murs sont souvent faits de branches souples entrelacées sur lesquelles est projeté un mélange de boue et de paille (le torchis). Le toit est couvert de paille (chaume), de roseaux ou de tuiles plates en bois (bardeaux).

* un oppidum : singulier
des oppida : pluriel

LA VIE QUOTIDIENNE

La famille gauloise vit au sein d'une même tribu. La plupart du temps, la famille est grande, elle regroupe parents, grands-parents, enfants, cousins, oncles ou tantes célibataires... Chacun aide aux différentes tâches quotidiennes à l'intérieur comme à l'extérieur de la maison. Le Gaulois a un grand sens de la famille, qu'il protège et défend. Lorsqu'un des membres est malade ou âgé, il est pris en charge par ses proches. Les Gaulois sont aussi réputés pour leurs fêtes, ils organisent des festins spectaculaires pendant lesquels nourriture, boisson et récits abondent.

La vie de famille

Les femmes gauloises peuvent choisir leur mari et sont libres de s'en séparer, mais cela arrive peu.
Le chef de famille a une grande responsabilité et doit veiller sur les siens.
Dans la journée, le père est rarement à la maison.
Les enfants les plus jeunes restent au foyer avec leur mère, à jouer aux osselets ou à la poupée, tandis que les plus grands aident aux travaux des champs.

Lors des fêtes, les hommes boivent, parfois jusqu'à l'ivresse, du vin et de la cervoise, une sorte de bière qu'ils brassent eux-mêmes.

Les travaux domestiques

C'est à la femme que reviennent les principales tâches de la maison.
Elle prépare la nourriture, s'occupe des enfants et tisse les étoffes pour les vêtements et les couvertures.
C'est souvent elle qui fait le pain. Cela prend du temps, car avant de préparer la pâte, il faut moudre le blé, l'orge ou le seigle pour obtenir de la farine.

La femme doit aussi préparer la viande rapportée par son mari ; pour la conserver plus longtemps, elle la sale avant de la disposer dans un tonneau ou un récipient en terre.

Les festins

La fête fait partie des principaux plaisirs gaulois. Au retour de la chasse ou de la guerre, on organise un grand banquet autour duquel les hommes se réjouissent parfois plusieurs jours de suite.

De la grand-mère à la petite-fille, toutes les femmes de la famille participent aux nombreux travaux ménagers. Certaines peuvent aussi être commerçantes ou sages-femmes.

Des repas animés

Assis généralement en cercle, par terre sur des peaux, des bottes de paille ou des fagots de bois, les Gaulois mangent avec les doigts des quantités impressionnantes de viande cuite (porc, bœuf et mouton), de charcuteries et de poissons. Pendant ces fêtes, on parle beaucoup, on écoute de la musique et le barde, poète de la tribu, chante des histoires se rapportant aux dieux ou aux hommes. Pour que le spectacle soit complet, il arrive qu'on improvise une lutte à mains nues ou une course de chars.

11

LE TRAVAIL DES MÉTAUX

Les Gaulois savent très bien utiliser les métaux. Ils font fondre du cuivre et de l'étain pour obtenir du bronze, qu'ils coulent ensuite dans des moules pour réaliser différents objets. L'apparition du minerai de fer leur permet de progresser dans de nombreux domaines.

Vers 800 av. J.-C., on commence à savoir fondre ce minerai et à le forger. Le fer est plus difficile à travailler que le bronze, mais il est aussi plus résistant. Il sert donc à fabriquer des outils et des armes. L'outillage est amélioré, et chaque village possède son forgeron.

Le bronze, plus coûteux, reste réservé aux bijoux.

De grosses poutres en bois soutenaient les galeries dans lesquelles les hommes ne pouvaient pas toujours se tenir debout.

La transformation du miner:

Pour obtenir du métal à partir du minerai, il fa
d'abord le faire chauffer à près de 1 500 °C dar
une cheminée de terre, pour que les impurete
fondent. La cheminée est ensuite cassée (1) et l'o
peut récupérer le fer épuré resté au fon
Les métaux comme le bronze, le plor
ou l'argent sont fondus et coulés dans de
moules (2) qui leur donneront la form
souhaitée (haches, monnai
bijoux). Le fer, lui, est forg
et martel

moule à poignée d'épée

moule à miroir

12

Extraire le fer

Le sol de la Gaule est riche en fer, ce qui est une grande chance pour les Gaulois, qui n'ont pas à le faire venir de loin. Le fer est le plus souvent extrait en surface, à flanc de colline ou à même le sol, peu profondément. Il existe aussi des mines souterraines.

sanglier en bronze

Le travail du forgeron

C'est un peu le magicien du village : il transforme le bloc de fer en objet. Il commence par faire rougir le métal au contact de flammes ou de braises pour le rendre plus tendre. Puis il le frappe de coups de marteau successifs pour peu à peu lui donner une forme. Dès que le fer refroidit, il faut le chauffer de nouveau pour continuer le travail jusqu'à obtenir l'objet désiré.

Les bronziers et orfèvres

Le bronzier est un artisan important. Il obtient du bronze à partir du cuivre et de l'étain, et travaille le plomb, l'argent et l'or. Il fond les métaux puis les coule dans des moules. Il fabrique aussi les pièces de monnaie.
L'orfèvre, lui, grave et décore les objets de métal réalisés par le bronzier. Ainsi, de la vaisselle, des boucliers et surtout des bijoux en bronze, en argent et en or étaient ornés de dessins et de motifs. Il arrive que le bronzier soit également orfèvre.

Parmi les objets gaulois en bronze, on a retrouvé des statuettes, représentations de guerriers ou de dieux et des animaux (sanglier, cerf, coq...).

Dès qu'ils ont su travailler le fer, les Gaulois ont cerclé les roues de leurs chars et chariots. Le cercle brûlant était appliqué autour de la roue. En refroidissant, il adhérait parfaitement au bois.

marteau

pince

enclume

forge

13

DES PAYSANS EFFICACES

Les Gaulois vivent essentiellement du travail de la terre et de l'élevage, qui sont pour eux des activités principales. Dans les villages, on élève, en liberté ou en enclos, de la volaille, des porcs, des moutons, des chèvres et même des bœufs ! Les chevaux sont domestiqués et aident les hommes à la chasse et aux travaux des champs.
Avec la découverte du fer, les Gaulois perfectionnent les outils agricoles et améliorent les techniques. Leurs productions (surtout des céréales) deviennent plus importantes et de meilleure qualité ; elles permettent à la Gaule de s'enrichir.

Les labours

Parmi les travaux des champs, les labours sont une tâche pénible. Heureusement, à l'époque gauloise, est inventée la charrue « à soc de fer », qui retourne plus profondément la terre que la précédente, tout en bois.

Des provisions bien stockées

Les Gaulois cultivent différentes céréales, comme le blé, l'orge, le seigle et l'avoine, mais aussi des légumes secs qu'ils peuvent conserver pour l'hiver (lentilles, pois chiches, fèves...). Les grains sont stockés dans des greniers surélevés, à l'abri des rongeurs, ou dans des puits creusés dans la terre que l'on referme par une chape d'argile.

14

La première moissonneuse

Ce sont les paysans gaulois qui inventent l'ancêtre de la moissonneuse : une caisse en bois sur deux roues, terminée par des dents en fer qui arrachent les épis au passage de la machine.

Poussé par un âne, un cheval ou un bœuf, cet engin est un grand progrès, mais il ne s'est pas répandu partout immédiatement.

Des troupeaux et des enclos

On élève surtout des porcs (à l'allure sauvage), les moutons et des chèvres, que l'on parque dans des enclos délimités par des murets en pierre ou des palissades en bois.

Avant que les Romains n'apportent des variétés de raisin plus résistantes, les Gaulois ne cultivaient la vigne qu'en Provence.

La chasse

Dans les forêts, près des villages, les Gaulois trouvent du gibier varié : cerfs, chevreuils, lapins... et celui qu'ils préfèrent : le sanglier !
Ils chassent avec des épieux, des lances ou des flèches à pointe de fer, et parfois à cheval.

L'UTILISATION DU BOIS

En Gaule, de nombreuses forêts abritent toutes sortes d'arbres, dont des chênes, des sapins, des ormes et des hêtres.
Les Gaulois savent utiliser ce bois. Ils sont devenus d'excellents constructeurs de bateaux, de chars et de chariots, et réalisent aussi de solides fortifications.
Les métiers de bûcheron, de tonnelier ou de charpentier sont très répandus. Même s'il en reste peu de traces, on sait que la famille gauloise possédait beaucoup d'objets en bois : coffres, tabourets, récipients, cuillères, tables basses... et peut-être même sabots !

La tonnellerie

Les Gaulois fabriquent déjà des tonneaux en bois comme ceux que nous connaissons. Moins fragiles que les amphores de terre, les tonneaux sont utilisés pour le transport de marchandises et de boissons telles que le vin et la bière.

Ce sont peut-être les Gaulois qui ont fabriqué les premiers tonneaux, mais les historiens ne sont pas tous d'accord sur l'origine de cette invention.

Le déboisement

Pour installer et agrandir leurs villages et pour cultiver, les Gaulois déboisent des forêts. Grâce au fer, qu'ils savent forger, ils se fabriquent des outils qui existent encore aujourd'hui et qui sont indispensables aux forestiers : la hache, l'herminette (petite hache)... Les chariots en bois leur servent à transporter rondins et branchages.

L'indispensable char

Les chars des Gaulois sont faits en bois, avec des roues cerclées de fer. On les utilise pour la chasse et pour la guerre. Petits et légers, ils sont bien adaptés à la course. Les guerriers y montent à deux : l'un guide, tandis que l'autre combat. Seuls les personnages les plus riches, et bien souvent les chefs, possèdent un char.

Les chars peuvent comporter sur les côtés des protections d'osier tressé.

Voici quelques outils en bois et en métal utilisés par les Gaulois. ▶

Les charpentiers

La plupart des maisons étant en bois, les charpentiers ont un rôle important. Le bois est choisi, transporté, puis découpé. Ensuite, les hommes montent peu à peu la charpente. Les poutres sont hissées à l'aide de cordages, et on assemble les différentes parties grâce à des systèmes d'emboîtement, des chevilles de bois et des crochets de fer.

Au fur et à mesure que les techniques progressent (nouveaux outils, clous...), les constructions deviennent plus grandes et plus compliquées.

faucilles

couteaux

hache

L'ARTISANAT

Comme tous les Celtes, les Gaulois sont des artisans habiles. Ils ne maîtrisent pas seulement le travail des métaux et du bois, mais ils savent aussi tanner le cuir, tisser la laine, tresser l'osier, fabriquer le verre et l'émail, modeler la terre... Les Gaulois confectionnent ainsi les objets et vêtements qui leur sont indispensables dans la vie quotidienne et réalisent également des éléments décoratifs (flacons de verre, bijoux émaillés...). Au sein de l'oppidum, les artisans se trouvent souvent rassemblés dans un même quartier et leur atelier fait partie de leur habitation.

Grâce à des petits boudins de terre, le potier « monte » un pot à la main : c'est la technique du colombin.

Le tissage

Les Gaulois portent des habits en lainage qu'ils tissent eux-mêmes grâce à un métier à tisser vertical en bois. Il s'agit d'une tâche surtout réservée aux femmes : elles réalisent de grandes pièces d'étoffes de plusieurs couleurs qu'elles cousent ensuite ensemble au moyen de fils de laine.

18

Le filage et le tissage se déroulent à la maison.

L'homme tond les moutons puis lave et décrasse la laine obtenue. Cette laine est ensuite teinte grâce à des colorants naturels extraits de fruits, de fleurs ou de petits coquillages.

La poterie

Les Gaulois importent en grand nombre de la vaisselle grecque et surtout italienne, céramique fine et vernissée. Ces objets en terre, moulés, comportent des décorations et un vernis rouge éclatant (poteries sigillées). Par la suite, les Gaulois parviennent à copier cette technique et fabriquent des millions de vases, coupes et plats...

Les poteries gauloises les plus anciennes étaient façonnées à la main grâce à la technique du colombin. Puis est apparu le tour de potier, qui a permis d'obtenir des formes plus élaborées.

Poteries gauloises

« Poterie dite sigillée »

L'émail

L'émail est une matière opaque obtenue grâce à un mélange de verre, de plomb et de cuivre fondus. Déposé encore liquide sur un objet, l'émail donne en refroidissant un éclat coloré (rouge, bleu, jaune, vert). L'artisan émailleur décore ainsi des bijoux en bronze, des armes...

Le travail du cuir

C'est un travail très dur mais très important, car cette matière est utilisée entre autres pour l'habillement, les chaussures, la fabrication d'outres et de selles de cheval. Les tanneurs préparent les peaux grâce au tanin tiré de l'écorce de chêne.

Après avoir été nettoyées et amincies, les peaux sont découpées et cousues par le bourrelier et le cordonnier. Le cuir est ensuite graissé pour être assoupli.

Le verre

Les Gaulois savent fabriquer le verre et réaliser des objets dans cette matière.
Ils obtiennent un verre coloré en y apportant des poudres de cuivre ou de fer. Ils façonnent alors des bijoux et des objets décoratifs.

1. *Bracelet émaillé*
2. *Bracelets en verre coloré*
3. *Petit chien décoratif en verre*
4. *Bijou réalisé avec des boules de verre*

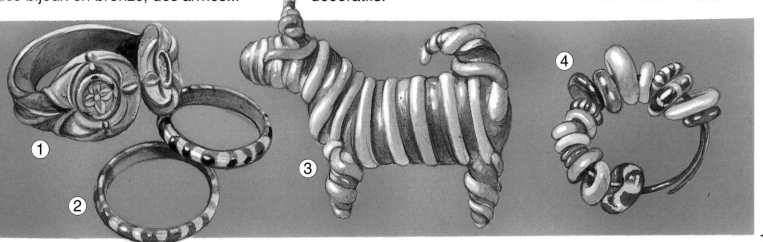

LE COMMERCE

Tous les peuples ne disposant pas des mêmes ressources (minerais, sel, céréales), l'échange de marchandises est important. On commerce entre voisins, mais aussi avec des peuples plus éloignés (Grecs, Romains, Nordiques), ce qui permet de se procurer des denrées très appréciées et de découvrir de nouveaux produits.
Le besoin d'échanges entraîne le développement du réseau routier et fluvial à travers la Gaule.
À la croisée des axes principaux apparaissent de grands centres de commerce (Lugdunum : Lyon) et, à l'embouchure des fleuves, des ports actifs (Massalia : Marseille).

Les moyens d'échange

Avant d'utiliser des pièces de monnaie copiées sur celles des Grecs, les Gaulois faisaient du troc. Il se peut même qu'ils aient échangé avec les Romains des esclaves contre du vin.

Les monnaies gauloises sont en bronze, en argent ou même en or. Voici une pièce à l'effigie d'un chef éduen (Bourgogne).

Les principales marchandises

Des produits très variés sont transportés sur les chemins de la Gaule. Les peuples du Sud (Romains et Grecs) fournissent du vin, de l'huile, des poteries de luxe, tandis que les Gaulois leur procurent des céréales, des étoffes, de la charcuterie et des bijoux.
Les Celtes de l'est de l'Europe disposent de nombreux minerais (fer, cuivre, étain) indispensables à la fabrication des outils et des armes. Beaucoup de sel circule aussi depuis les mines dispersées en Europe.

Les Gaulois ne sont pas de grands navigateurs et ils s'éloignent rarement des côtes. Ils naviguent sans carte et s'orientent grâce au soleil et aux étoiles.

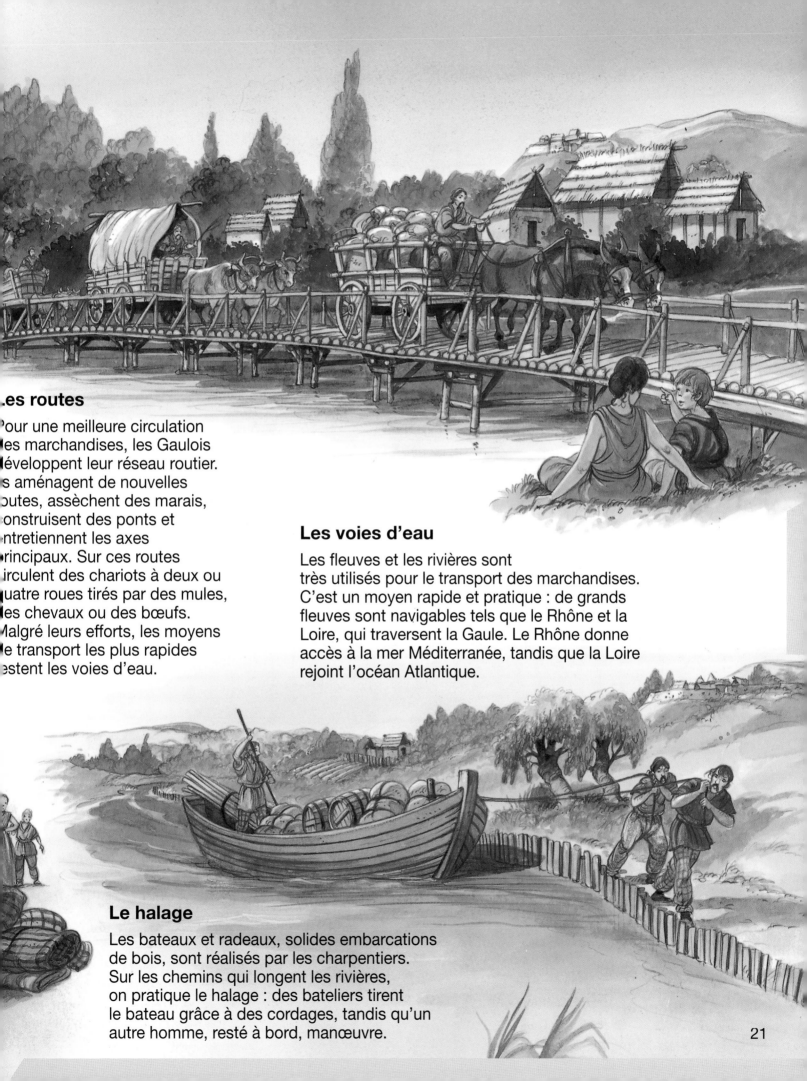

Les routes

Pour une meilleure circulation des marchandises, les Gaulois développent leur réseau routier. Ils aménagent de nouvelles routes, assèchent des marais, construisent des ponts et entretiennent les axes principaux. Sur ces routes circulent des chariots à deux ou quatre roues tirés par des mules, des chevaux ou des bœufs. Malgré leurs efforts, les moyens de transport les plus rapides restent les voies d'eau.

Les voies d'eau

Les fleuves et les rivières sont très utilisés pour le transport des marchandises. C'est un moyen rapide et pratique : de grands fleuves sont navigables tels que le Rhône et la Loire, qui traversent la Gaule. Le Rhône donne accès à la mer Méditerranée, tandis que la Loire rejoint l'océan Atlantique.

Le halage

Les bateaux et radeaux, solides embarcations de bois, sont réalisés par les charpentiers. Sur les chemins qui longent les rivières, on pratique le halage : des bateliers tirent le bateau grâce à des cordages, tandis qu'un autre homme, resté à bord, manœuvre.

21

LA RELIGION

Peuple proche de la nature, les Gaulois respectent de nombreuses croyances. Les pratiques religieuses sont très importantes et concernent les cultures, l'élevage, la médecine, la mort... Les prêtres gaulois, les druides, représentent des personnages essentiels de la société. Ils détiennent le savoir et on fait appel à eux tant pour les cérémonies religieuses que pour les questions de justice ou l'éducation des jeunes. Comme les Égyptiens et les Grecs, les Gaulois croient en divers dieux. Chaque tribu a même ses propres divinités pour lesquelles sont organisés des sacrifices.

Seul le druide se charge de couper le gui.

Le druide

Le druide représente le relais entre les dieux et les hommes. Il est chargé de présider toutes les cérémonies religieuses et il est consulté aussi pour les décisions de justice et de politique. Homme de savoir, c'est à lui que sont confiées l'éducation des enfants et la transmission des connaissances. Chaque année, tous les druides de Gaule se réunissent en forêt, dans la région de Chartres.

Les dieux

Les dieux gaulois sont souvent des divinités de la nature représentant des éléments comme l'eau, le soleil, le ciel... On croit beaucoup en leurs pouvoirs pour rendre les cultures abondantes ou encore guérir les maladies.

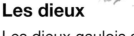

L'éducation des jeunes Gaulois est assurée par le druide de la tribu, qui leur enseigne, entre autres la musique, la poésie, l'astronomie...

Le druide est issu de famille noble. Il lui faut de nombreuses années pour acquérir son savoir.

a forêt, lieu sacré

es forêts ont une grande
portance dans la vie
ligieuse. On y célèbre
e nombreux cultes et
s bois sont souvent des
ux où se déroulent les
crifices. Le chêne est
onsidéré comme un
bre divin ; son feuillage
t utilisé pour certaines
rémonies. Le gui, lui
ssi, est une plante
crée que les druides
ploient dans des
tions miraculeuses.

ranis est le dieu du Ciel.
Les Gaulois craignent
ses colères.

Les croyances

Les rivières, les lacs et les sources
abritent des divinités qui protègent
de la sécheresse, fournissent de
l'eau potable et guérissent les
malades...

*En offrande, on jette à l'eau bijoux,
armes et objets précieux.*

Les tombes

Les Gaulois croient en une vie
après la mort. Ils accordent
donc une grande attention à la façon
dont sont enterrés leurs disparus.
Les tombes des personnages les
plus importants sont signalées par
un amas de pierres recouvert
de terre appelé
« tumulus ».

*La chambre funéraire est en rondins de
bois et renferme parfois des richesses.*

Chaque 1ᵉʳ mai, en présence du
druide, les paysans font traverser
à leur bétail la fumée de feux
sacrés pour purifier et protéger
les bêtes.

*Pour que le voyage dans l'au-delà se
déroule au mieux, les Gaulois enterrent
leurs défunts avec de la nourriture et
des objets qui leur étaient précieux.
Le guerrier repose avec ses armes,
l'artisan avec ses outils, et la femme
avec ses plus beaux bijoux.*

UN PEUPLE GUERRIER

Les Gaulois sont des guerriers courageux et orgueilleux qui ne se rendent pas facilement lorsqu'ils sont en difficulté. Pour acquérir des terres nouvelles et fertiles, ils mènent de nombreux combats. Et, au IVe siècle av. J.-C., ils entreprennent des expéditions pour agrandir leurs territoires vers le sud et l'est. Ainsi, différents peuples gaulois (Arvernes, Sénons, Carnutes...) conquièrent le nord de l'Italie, la Grèce et atteignent l'actuelle Turquie. Les affrontements avec les Romains sont nombreux avant que ces derniers, commandés par César, n'envahissent finalement la Gaule.

La conquête de Rome

En 390 av. J.-C., les Gaulois, en pleine conquête italienne (ils ont déjà envahi plusieurs villes du nord de l'Italie), prennent la ville de Rome après un siège de 7 mois ! Une fois la ville conquise et pillée, ils repartent, exigeant des Romains un énorme butin en or.

Les Gaulois entre eux

Les Gaulois n'attaquent pas seulement les Romains. Il leur arrive fréquemment de se combattre entre eux pour élargir leur territoire ou même pour se voler.

César

La Guerre des Gaules

En 58 av. J.-C., Jules César, très grand général romain, entreprend de conquérir la Gaule. Les différents peuples gaulois ne sont pas unis : César se sert de leurs rivalités et certaines tribus se rallient à lui. En 53 av. J.-C., presque toute la Gaule est dominée par les Romains, sauf le royaume des Arvernes (l'Auvergne actuelle). Des peuples se rassemblent alors autour d'un jeune chef arverne de 20 ans, Vercingétorix, pour tenir tête à César. On connaît le déroulement des batailles entre Gaulois et Romains grâce au livre _La Guerre des Gaules_ qu'a écrit Jules César.

Vercingétorix

Des conflits permanents

Les différentes tribus gauloises et les Romains se sont affrontés régulièrement en vue d'étendre leurs empires. On pense que les Gaulois cherchaient surtout à impressionner leurs adversaires, mais qu'ils étaient bien moins organisés dans leurs plans de bataille que les Romains. Vers 300 av. J.-C., les Romains commencent à stopper les Gaulois dans leurs conquêtes, mais les batailles continuent !

Les Gaulois exposent les crânes des vaincus sur les piliers de certaines constructions.

L'incroyable siège d'Alésia

Vercingétorix et ses troupes parviennent à battre César à Gergovie. Mais la même année, ils se font assiéger à Alésia, en Bourgogne. Le siège du camp dure deux mois. Les Romains n'attaquent pas mais creusent de profonds fossés et encerclent le camp avec des palissades et des tours pour empêcher toute fuite et tout renfort. Affamés, à bout de forces, les Gaulois se rendent.

LA GAULE DEVIENT ROMAINE

Après la victoire de César à Alésia, en 52 av. J.-C., la Gaule devient une province de l'Empire romain. César cherche à y étendre la culture latine. Des Romains viennent s'établir en Gaule, des Gaulois sont engagés dans les garnisons romaines, la langue latine se répand et, en matière de justice, on fait peu à peu appliquer le droit romain.

Les Romains réorganisent aussi le territoire. Ils font des aménagements routiers, créent et agrandissent des villages et modifient les villes et les domaines agricoles.

Plus ou moins rapidement selon les régions, les Gaulois se « romanisent ».

Les constructions romaines

Dès leur installation en Gaule, les Romains font bâtir des constructions liées à leur style de vie. Ainsi, dans les villes gauloises apparaissent des arènes, des théâtres, des thermes (bains publics), des arcs de triomphe... Ce peuple ingénieux fait aussi construire des aqueducs pour mieux alimenter les villes en eau. Le pont du Gard, dans le sud de la France, en est un très bel exemple.

Les voies romaines

La circulation en Gaule n'est pas pratique, et les routes deviennent difficiles dès que le temps se gâte. Les Romains désirent faire circuler les marchandises, surtout leurs troupes et le courrier, plus facilement et plus rapidement entre les provinces. Ils créent des voies pavées, droites et jalonnées de bornes.

Les routes actuelles suivent souvent le tracé des anciennes voies romaines.

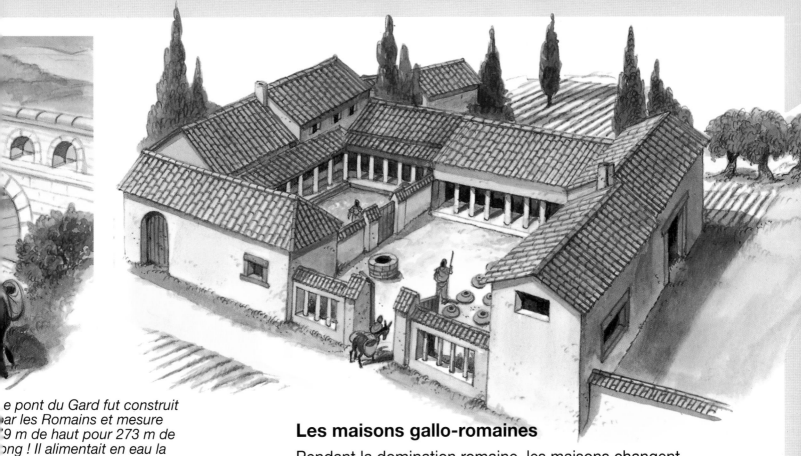

Le pont du Gard fut construit par les Romains et mesure 49 m de haut pour 273 m de long ! Il alimentait en eau la ville de Nîmes.

La romanisation

La langue officielle de l'Empire romain est le latin. En Gaule, on commence par l'utiliser dans les échanges commerciaux et dans les villes, où les notables l'adoptent très vite. Ensuite le latin est enseigné aux plus jeunes. Les druides, considérés par les Romains comme des personnages inquiétants, sont persécutés et certaines fêtes celtes sont interdites. Les Gaulois adoptent les dieux romains, tout en conservant certaines de leurs croyances.

Les maisons gallo-romaines

Pendant la domination romaine, les maisons changent d'aspect. Le bois et le torchis sont remplacés par la pierre et la brique. Le toit des maisons est désormais couvert de tuiles arrondies en terre cuite ou en bois. De très grands domaines agricoles (les fundi) sont créés. Autour de la villa du maître, de grandes étendues cultivées sont divisées en lots. Une partie des récoltes sert à approvisionner les villes et les garnisons postées aux frontières.

Des maîtres d'école romains s'installent en Gaule et remplacent les druides. En plus des autres matières, ils enseignent le latin.

TABLE DES MATIÈRES

MDS : 241577
ISBN : 978-2-215-06155-7
© Groupe FLEURUS, 1998
Conforme à la loi n°49-956 du 16 juillet 1949
sur les publications destinées à la jeunesse.
Dépôt légal à la date de parution.
Imprimé en Italie (11-10)

Un tumulus est une butte de terre et de pierres sous laquelle les premiers Gaulois ensevelissent les personnages importants. Une chambre en bois abrite le corps et des objets précieux.

Les Gaulois inventent la première moissonneuse. Très simple, elle est faite d'une caisse en bois sur roues, complétée par des dents, situées à l'avant, qui arrachent les épis au passage.

L'oppidum est une ville gauloise fortifiée et un centre politique et commercial important. Elle est généralement située en hauteur, bénéficiant ainsi d'une protection naturelle.

Vercingétorix est un jeune chef gaulois. Il s'oppose à César, général romain, pendant la guerre des Gaules. Après la victoire des Romains lors du siège d'Alésia, en 52 av. J.-C., la Gaule devient une province romaine.

Les Gaulois font du troc, puis ils adoptent les pièces de monnaie, qu'ils fondent eux-mêmes en imitant celles des Grecs.

Les Gaulois se servent beaucoup des voies d'eau pour faire circuler les marchandises à travers leur territoire. Le long des rivières, ils tirent les embarcations : c'est le halage.

Les Gaulois utilisent beaucoup de récipients en terre, que réalisent les artisans potiers. Certains sont importés d'Italie ou de Grèce.

Les fortifications gauloises sont solides. Le murus gallicus ne craint ni le feu ni les coups terribles des ennemis. Il est fait de pierres et renforcé par d'énormes poutres qui s'entrecroisent. Pour que la protection soit meilleure, les Gaulois creusent un fossé devant ce mur d'enceinte.